Yo Soy el Alfabeto

REBECCA Y JAMES MCDONALD

¡Yo soy el alfabeto! Soy las letras que representan los sonidos de las palabras que escuchas y dices.

Las personas de hace mucho tiempo se dieron cuenta de que no querían olvidar las cosas importantes de las que hablaban, como nombres, juegos divertidos e inventos geniales.

Para poder recordar, estas personas crearon letras que mostrarían los sonidos de las palabras que decían. Las letras se llaman el alfabeto.

Poco después, mucha gente quería aprender las letras y sus sonidos para poder leer y escribir palabras.

PERRO

GATO

F

Las palabras se componen de letras que representan los sonidos que las personas emiten. Cada palabra tiene su propio significado.

GALLINA

VACA

Una visita a la heladería es más fácil con las letras del alfabeto. Las palabras describen todas las diferentes opciones que tienes.

Los libros están llenos de palabras que la gente quería guardar y compartir con otros.

Los científicos realizan un seguimiento de todos los dinosaurios que han encontrado escribiendo en libros lo que han aprendido sobre ellos.

Los constructores usan el alfabeto para escribir acerca de lo que van a construir y lo que necesitarán.

GRANJA de MANZANAS

Cuando los agricultores encuentran la mejor manera de cultivar plantas y cuidar a los animales, usan el alfabeto para escribir lo que han aprendido.

Los niños han usado el alfabeto para escribir sobre sus ideas, como camiones de juguete, trampolínes y orejeras, y la gente todavía usa estos inventos en la actualidad.

Los lugares hermosos que la gente visita se mantienen limpios gracias a las palabras que los niños han escrito con las letras del alfabeto.

BIENVENIDOS
PARQUE ESTATAL

S

EXPLORADOR

¡El alfabeto incluso ha estado en el espacio!

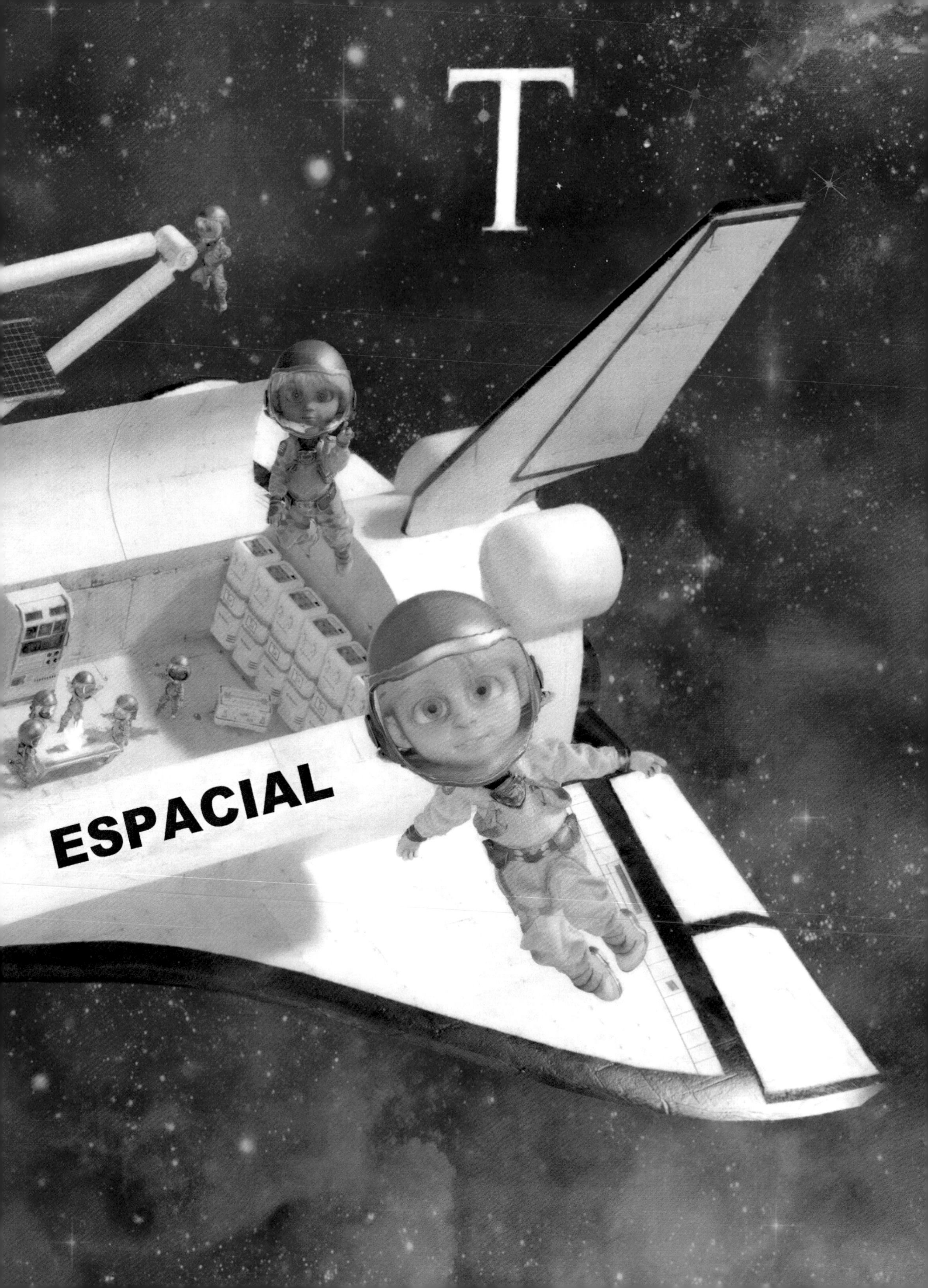
T
ESPACIAL

Con las letras del alfabeto, las familias pueden escribir los nombres los unos de los otros.

ÁRBOL GENEALÓGICO

SAM JURO NIA CLAIRE JAYDEN

Al igual que tú, cada letra del alfabeto tiene su propio nombre.

Los nombres facilitan seguir los diferentes sonidos que representan las letras.

Hoy en día, el alfabeto se usa aún más que antes. Cuando miras a tu alrededor, puedes ver letras en todas partes.

Ser capaz de leer las palabras de otros hace que sea más fácil aprender y recordar cosas nuevas.

Poder escribir tus palabras ayuda a las personas a comprender y recordar lo que quieres decirles.

¡Ahora estás listo para desarrollar tus súper habilidades de lectura y escritura aprendiendo los nombres de las letras y cada uno de los sonidos que representan!

¿Qué representa una letra?

¿Qué letras deletrean tu nombre?

¿Conoces a alguien cuyo nombre comience con la misma letra que el tuyo?

¿Por qué es importante poder leer las palabras?

¿Por qué es importante poder escribir las palabras?

¿Tienes palabras que quieras escribir?

Yo Soy el Alfabeto

ISBN: 978-1-950553-28-0
www.HouseOfLore.net

¿Puedes encontrar las letras a continuación
que están ocultas en las páginas de este libro?

Yo Soy
Un Dinosaurio
REBECCA Y JAMES MCDONALD

Yo Soy
Un Tiranosaurio Rex
REBECCA Y JAMES MCDONALD

Yo Soy
Un Triceratops
REBECCA Y JAMES MCDONALD

Yo Soy
Una Rana
REBECCA Y JAMES MCDON

Yo Soy
el Sistema Solar

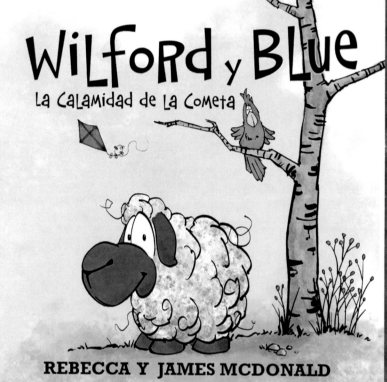

Wilford y Blue
La Calamidad de la Cometa

REBECCA Y JAMES MCDONALD

HOUSE OF LORE

Yo Soy
El Sol

Yo Soy
La Tierra

Yo Soy
La Luna

Los Garabatos

A Veces me Siento...

REBECCA Y JAMES MCDONALD

Yo Soy
Una Abeja
REBECCA Y JAMES MCDONALD

Made in United States
North Haven, CT
23 June 2022

20571610R00027